雪山救生员

美国尼克儿童频道 / 著

安东尼 / 译

天地出版社 | TIANDI PRESS

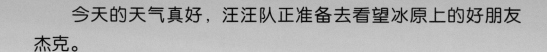

今天的天气真好，汪汪队正准备去看望冰原上的好朋友杰克。

这时，一辆大卡车疾驰而来，停在队员们面前。莱德自豪地介绍说："看，这是最新款汪汪巡逻车！它也是咱们的移动塔台，可以带着我们去任何地方！"

正说着，车门开了，一只机器狗蹦蹦跳跳地跑了出来。

莱德继续说："这只机器狗是我们的司机罗博！"

莱德带领着队员们走进巡逻车参观，杰克刚好打来了电话。

"嘿，杰克，冰原那边的情况怎么样啊？"莱德问道。

"棒极了！你们瞧！"杰克指着身后开心地说。

屏幕上出现了一座美丽的雪山和一条晶莹的冰河。

　　杰克突然在冰面上滑倒了，他大叫着："我的手机！我的地图！我的包包！"

　　糟糕，杰克所有的装备全都掉进了冰河里。

"杰克有麻烦了！"小砾大声说。

"狗狗们，行动起来！"莱德命令道。

巡逻车的后门打开，降下了一道斜板坡。狗狗们迅速乘坐上自己的交通工具，罗博发动引擎，巡逻车准备出发了。

冰原上，杰克努力想要抓住掉进冰河里的背包，但是河岸上到处都是冰，杰克眼看就要滑进河里了。幸运的是，一只哈士奇在紧要关头冲过来拉住了他。

"感谢你救了我！"杰克很激动地向狗狗介绍了自己。

狗狗开心地说："我叫珠珠，我做到了！我一直梦想成为一名真正的救生员！"

珠珠说道："我们得赶快离开这里，暴风雪马上就要来了，我可不想我的第一次救援工作会失败。咱们先到冰屋中躲一下吧！来，像我这样，我们很快就能到那儿！"

珠珠低下身子，用肚皮贴着雪地，从雪山上"嗖"地滑了下去。

"肚皮滑雪板！"杰克兴奋地叫道。他紧跟着珠珠也滑了下去。

"当心下面！"珠珠喊道。

两个新朋友就这样沿着雪坡快乐地滑行着，他们的身旁时不时闪过一些好奇的企鹅。

巡逻车到达冰原时，雪已经下得很大了。狗狗们立刻开始搜寻起杰克来。很快，他们就找到了已经结冰的手机和背包。

莱德担心地说："这说明杰克身上没有任何装备。"

突然，他在雪地上发现了一些东西："那是脚印吗？"

阿奇马上跑过去闻了闻："是杰克的脚印，他身边还有一只狗狗！"

莱德说道："这些脚印能带领我们找到杰克！大家都跟上！"

阿奇负责在地面上跟踪脚印，天天驾驶着直升机穿行在风雪中。

这时，杰克和珠珠来到一座又高又窄的冰桥边。"桥对面就是我的冰屋。"珠珠说道。

杰克担心地问："这座小桥能撑得住我们俩吗？"

"但愿吧！这是唯一一条可以通过的路。"珠珠回答。

他们小心翼翼地往前走时，突然听到一声可怕的巨响，冰桥裂开了！

杰克和珠珠眼看就要掉进山谷里了。这时，天上突然垂下来一根绳索，杰克和珠珠赶紧抓牢。

这是天天驾驶着直升机赶来营救他们了！

就在天天拉着他们往山谷对岸飞去时，绳索突然断了！

"赶紧跳！"杰克大喊。

珠珠成功地跳到了对岸，可是杰克却没来得及上岸，他拼命抓牢崖壁。

"不要慌！我抓着你呢！"珠珠大喊。只见她紧紧地咬着杰克的衣袖，使劲把他拖了上来。

"太好啦，我又救了你一次！"

天黑了，所有人都安全地聚在杰克的山间小屋，一份惊喜在等着大家——香喷喷的烤棉花糖！

杰克说："珠珠，我可以邀请聪明勇敢的你当我的助手，守卫这片雪山吗？"

莱德补充道："还得负责保护杰克，以及营救其他遇险的人呢！你愿意加入我们汪汪队吗？"

"哇哦，这真是我生命中最棒的一天！"珠珠高兴地叫着，其他狗狗也跟着一起欢呼起来。

PUPS TO THE RESCUE!

汪汪队在行动!

RYDER

无论何时何地，冒险湾一旦有麻烦，莱德和他勇敢的汪汪队队员们就会及时出现。**没有困难的工作，只有勇敢的狗狗！**

"汪汪队，马上到塔台集合！"莱德命令道。

MARSHALL

"火力全开！" 毛毛自豪地说。

　　毛毛是团队中勇敢的达尔马提亚（俗称斑点狗）消防狗。每当接到紧急救援任务的时候，他都会很激动。这让他有时看上去很滑稽。

毛毛的狗狗小屋：

　　可以变形为消防车。他的背包里有一个双管灭火器。

　　无论发生什么情况，毛毛总是积极面对，他是个典型的乐天派。

阿奇
CHASE

CHASE

"包在我身上！" 阿奇叫道。他是汪汪队中既聪明又有执行力的警犬。

阿奇是团队中的领导者，是一只善于追踪、侦察的德国牧羊犬。此外，他还能指挥交通，封锁危险路段，敏锐察觉出各种异常情况。

阿奇的狗狗小屋：

可以变形为警用卡车。他的背包里有扩音器、探照灯、网和其他能让他抓牢各种物体表面的工具。

SKYE

"狗狗要飞上天啦！" 天天欢呼着。她是汪汪队中无所畏惧的小"天使"！

天天是团队中体形最小的可卡犬，但她在各种挑战面前从不退缩，并且时刻准备着飞往任何危险的地方。

天天的狗狗小屋：

可以变形为直升机。她的背包里装的是各种能帮助她飞行和执行空中救援任务的工具。

天天喜欢玩滑雪板和跳狗狗摇摆舞。此外，她还热衷于美甲护理呢！

小砾
RUBBLE

RUBBLE

小砾喊道。他是团队中吃苦耐劳的建筑狗，强壮、友善、乐于助人。你知道吗？这只五岁的斗牛犬最擅长的是修筑和挖掘哦。他热爱滑冰和滑雪，每当觉得自己身上脏了，他就会洗一个温暖舒适的泡泡浴呢！

小砾的狗狗背包：

打开就能变成一个铲斗。他的狗狗小屋能变形成一个带铲斗的挖掘机。别忘了，小砾最擅长的是挖掘哦！

灰灰
ROCKY

ROCKY

"马上开始行动！"灰灰欢呼着。他是团队中的"百宝箱"。

这只混血犬有一双敏锐的眼睛，他总能变废为宝，并用他回收来的东西帮助大家。就像他时常说的那句话："旧物别丢掉，还有大用处！"

灰灰的狗狗背包：

里面有各种各样的工具，包括一条很大的机械臂。

每当他出发时，他的狗狗小屋就会变成一辆回收卡车哦！

路马
ZUMA

ZUMA

路马喊道。他是团队中的水上救援犬。

路马是团队中最年轻的成员，是一条充满活力的五岁拉布拉多犬。他喜欢所有与水相关的活动，从冲浪到跳水，甚至洗澡！

路马的狗狗小屋：

可以变形为气垫船。他的背包里有空气罐和螺旋桨，这些可以帮助他在深水里快速行进。

"准备好了吗？让我们游泳吧！"这是路马经常挂在嘴边的一句话。

图书在版编目（CIP）数据

汪汪队立大功儿童安全救援故事书. 雪山救生员 /
美国尼克儿童频道著；安东尼译. — 成都：天地出版
社, 2017.3
ISBN 978-7-5455-2361-4

Ⅰ.①汪… Ⅱ.①美… ②安… Ⅲ.①儿童故事 – 图
画故事 – 美国 – 现代 Ⅳ.①I712.85

中国版本图书馆CIP数据核字(2016)第283532号

出品策划： 文轩出品

网　　　址：http://www.huaxiabooks.com

著作权登记号 图字：21-2017-04-13号

雪山救生员

出 品 人	杨　政	总 经 销	新华文轩出版传媒股份有限公司
策划编辑	李红珍　戴迪玲	印　　刷	北京瑞禾彩色印刷有限公司
责任编辑	陈文龙　夏　杰	开　　本	889×1194　1/20
特邀编辑	张　剑	印　　张	1.6
版权编辑	郭　淼	字　　数	10千字
装帧设计	谭启平	版　　次	2017 年 3 月第 1 版
责任印制	董建臣	印　　次	2017 年 6 月第 3 次印刷
出版发行	天地出版社	书　　号	ISBN 978-7-5455-2361-4
	（成都市槐树街 2 号 邮政编码：610014）	定　　价	12.80 元
网　　址	http://www.tiandiph.com		